Yr Ateb Cywir

Siân Lewis

Darluniwyd gan James Field

Yr Ateb Cywir

Ddaeth Gruff, fy mrawd, ddim i'r ysgol ddydd Llun, felly fe gollodd e'r hwyl a'r dathlu. Ro'n i'n rhedeg adre i ddweud yr hanes wrtho, pan gwrddais i â Mam yn dod ar draws y caeau gyda llond ei llaw o datws gwylltion.

'Mam!' galwais. 'Ble mae Gruff?'

Arafodd Mam a syllu dros y paith.

'O!' snwffiais. 'Mae e wedi mynd i hela, on'd yw e? Dyw hi ddim yn deg.'

Ddwedodd Mam 'run gair, a phan drois i i gyfeiriad y tŷ, be welais i ond Besi'r gaseg yn sefyll wrth y ffens. Dyna pryd y dechreuodd fy mol gorddi.

'Ble mae Gruff?' gofynnais.

'O, Jane fach, mae e wedi rhedeg i ffwrdd ar ei ben ei hun,' meddai Mam.

'Rhedeg?' dwedais. 'Heb y gaseg? Pryd aeth e?'

'Bore 'ma,' ochneidiodd Mam.

Bore 'ma, pan godon ni, roedd Dad yn eistedd yn un swp ar yr iard. Roedd e'n crio. Dyna'r tro cynta i ni 'i weld e'n crio. Roedd e'n crio am fod ein cwpwrdd bwyd ni'n wag. Roedd e'n crio am ei fod e wedi dod â ni i Batagonia.

Roedden ni'n arfer byw yng Nghymru mewn tŷ llwyd ar stryd lwyd gyda stribed cul o awyr uwchben. Roedd wyneb Dad yn llwyd hefyd bryd hynny – yn llwyd gan lwch glo – ond roedd ei ysbryd yn obeithiol. Dwi'n dal i gofio clecian llon ei esgidiau wrth iddo gerdded yn dalsyth am adre un

diwrnod a thaflu'i freichiau am Mam, Gruff a fi. Daeth ein cymdogion mas at garreg y drws i wrando ar ei eiriau. 'Rydyn ni'n pedwar yn mynd i symud i'r Ariannin,' meddai Dad yn llawn balchder. 'Rydyn ni'n mynd i greu Cymru newydd ar wastadeddau gwyrddion Patagonia.'

Edwin Cynrig Roberts oedd wedi rhoi'r syniad yn ei ben. Er mai Cymro ifanc oedd Edwin, roedd e wedi cael ei fagu yn America. Pan ddaeth e i'n tref ni, aethon ni i gyd i'r capel i wrando arno'n siarad.

'Mae'r Cymry wedi'u gwasgaru ledled y byd,' meddai Edwin. 'Mae tlodi a gormes wedi'u gyrru o'u gwlad i chwilio am fywyd gwell. Ond mae 'na bris i'w dalu am y bywyd hwnnw. Yn America, lle dwi'n byw, mae'r Cymry'n colli'u Cymreictod. Felly, ffrindiau annwyl, os ydyn ni am ymfudo, dewch i ni ymfudo i'n gwlad ein hunain. Ni ein hunain fydd yn rheoli'r wlad honno, a Chymraeg fydd ei hiaith. Mae llywodraeth Ariannin wedi addo llannerch o ddaear i ni ym Mhatagonia. Dewch yn un teulu mawr. Awn a meddiannwn y tir!'

Nid ni oedd yr unig rai i ymateb i alwad Edwin. Gadawodd dros gant chwe deg o bobl eu cartrefi ym mhob cwr o Gymru, hel eu pac a hwylio i Ariannin ar fwrdd y llong Mimosa. Safon ni i gyd ar y dec a chanu yn Gymraeg wrth i'r llong baratoi i adael porthladd Lerpwl ar y pumed ar hugain o Fai 1865, ddwy flynedd yn ôl. Ymhen tri diwrnod roedden ni ar y môr mawr.

A dyna i chi daith oedd o'n blaenau. Fe fuon ni'n hwylio am ddeufis – deufis yn gaeth ar y llong gyda phobl

yn gwaelu a babanod yn marw o'n cwmpas. Fe fydden ni'r plant wedi diflasu'n llwyr oni bai am Dafydd.

Dafydd Williams oedd arwr fy mrawd. Roedd e'n llon ac yn serchog ac roedd Gruff yn ei ddilyn i bobman. Crydd un ar hugain oed oedd Dafydd. Ym mhoced ei gôt cadwai nodwydd, gwniadur gyda tholc bach ynddo, a llyfr bach coch. Pwrpas y nodwydd a'r gwniadur oedd cadw'n traed yn ddiddos, meddai, a phwrpas y llyfr bach coch oedd cadw'n calonnau'n ddiddig.

Pan fydden ni'r plant yn tyrru o'i gwmpas, byddai Dafydd yn tynnu'r llyfr o'i boced ac yn gofyn cwestiynau a phosau doniol fel hwn:

'*Fe aned plentyn yn Llan-gan,*
Nid mab i'w dad, nid mab i'w fam,
Nid mab i Dduw, nid mab i ddyn,
Ond yn blentyn perffaith fel pob un.'

Pan glywais i hwnna am y tro cynta, fe grafais i 'mhen am sbel. Pwy oedd y plentyn, tybed? Ond wedi meddwl mae'r ateb yn syml – merch oedd hi!

Roedd Gruff wastad yn eistedd yn ymyl Dafydd ac yn darllen y cwestiynau gydag e'n dawel bach. Wedyn roedd e'n gweiddi'r atebion yn uwch na neb. Roedd e wedi gofyn i Mam am ddarnau o bapur i wneud llyfr nodiadau, ac ynddo roedd e'n cadw rhestr o gwestiynau ac atebion Dafydd er mwyn eu dysgu bob un.

Ond doedd dim rhaid nodi tri o'r cwestiynau. Roedd pawb yn gwybod rheiny ar eu cof. Ar ddiwedd pob sesiwn byddai Dafydd yn sbecian dros ei lyfr ac yn wincio arnon ni. Dyna'r arwydd i ni i gyd ddal ein hanadl. Uwch ein

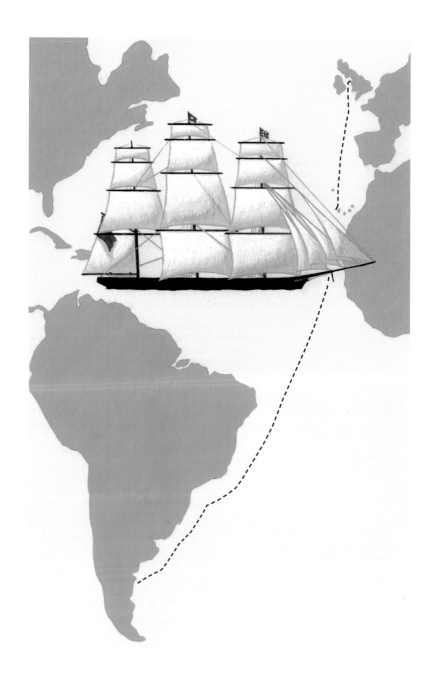

pennau fflapiai hwyliau mawr llwyd y Mimosa. O'n cwmpas gwichiai'r deciau a llepiai'r tonnau. Ond doedd neb yn eu clywed. Roedden ni i gyd yn disgwyl yn eiddgar.

'Nawr 'te,' dwedai Dafydd, 'dyma gwestiwn pwysig iawn. Gan bwyll, bawb! Meddyliwch yn galed cyn ateb. Pa wlad . . . pa wlad yw'r orau yn y byd?'

'Patagonia!' rhuai pawb gan foddi'r don a'r gwynt.

'Pa wlad sy'n nefoedd ar y ddaear?'

'Patagonia!'

'Ble ydyn ni'n mynd i sefydlu Cymru newydd, hardd a ffrwythlon?'

'Patagonia!'

Ar ôl i'r sŵn ddistewi, byddai wyneb crwn Dafydd yn gwenu'n llon arnon ni a'i lygaid yn disgleirio.

'Da iawn,' dwedai. 'Hollol gywir.'

Ond doedd yr atebion ddim yn hollol gywir. Go brin eu bod nhw'n gywir o gwbl.

Ar yr wythfed ar hugain o Orffennaf 1865 glaniodd Mam, Dad, Gruff a fi a'n cyd-deithwyr ar dir Patagonia. Yng Nghymru mae Gorffennaf yn ganol haf. Ym Mhatagonia mae'n ganol gaeaf. Roedd glaw oer annifyr yn disgyn wrth i ni gamu i'r traeth. Yno roedd Edwin Roberts a'n harweinydd Lewis Jones yn aros amdanom. Roedd y ddau wedi mynd i Batagonia ddeufis yn gynt i baratoi ar ein cyfer. Yn anffodus, heb i ni wybod, fe gawson nhw bob math o anawsterau. Roedden ni'r teithwyr yn disgwyl gweld rhes o dai cysurus ar y lan, ond yr unig adeilad gorffenedig ar y traeth llwyd, moel oedd sied fawr

bren. Wrth i ni swatio ymysg ein paciau dechreuodd Mam grio. Dwi'n dal i glywed sŵn y dagrau yn ei llais, pan redodd fy mrawd ar draws y traeth.

'Gruff! Gruff! Gruff!' sgrechiodd Mam. 'Dere'n ôl!'

Roedd hi'n ddwl o ofn.

Roedd ofn arnon ni i gyd.

Nid ar y glaw na'r diffyg tai oedd y bai. Roedd rhywbeth gwaeth o lawer wedi digwydd.

Y diwrnod cynt, pan oedd y Mimosa wedi angori yn y bae, roedd Edwin Roberts wedi rhwyfo mewn cwch bach i'r llong i'n croesawu. Pan aeth e'n ôl i'r traeth, mynnodd Dafydd a rhai o'i ffrindiau fynd gydag e. Allen nhw ddim aros munud yn hwy. Roedd raid iddyn nhw roi eu traed yn ddi-oed ar wlad hardd a ffrwythlon Patagonia. Ond druan â nhw! Am siom! Doedd y wlad ddim yn hardd. Doedd hi ddim yn ffrwythlon. O'r traeth doedd dim i'w weld ond milltiroedd ar filltiroedd o dir anial, llychlyd, yn llawn o lwyni drain.

Felly be wnaeth Dafydd? Fe redodd yn ei flaen. Doedden ni ddim yn bwriadu gwneud ein cartref ar lan y môr ta beth. Roedd llywodraeth Ariannin wedi rhoi tir i ni ar lan yr afon Chupat, sef yr afon Camwy erbyn hyn. Felly roedd Dafydd wedi penderfynu gadael ei ffrindiau. Roedd e mor awyddus i gyrraedd y wlad werdd a phrydferth, fe redodd yn ei flaen. Erbyn i'r gweddill ohonon ni lanio drannoeth, roedd Dafydd ar goll.

Welson ni mo'r crydd ifanc byth wedyn. Roedd pawb yn derbyn ei fod e wedi marw, pawb ond Gruff. Mynnai Gruff fod Dafydd wedi rhedeg a rhedeg nes cyrraedd gwlad

hardd a ffrwythlon ymhell i'r gorllewin. Dylen ni fod wedi dweud y gwir yn blaen wrtho fe bryd hynny, ond wnaethon ni ddim.

Wrth gerdded adre gyda Mam brynhawn Llun, fe rois fy mraich amdani.

'Bydd Gruff 'nôl nawr cyn hir,' dwedais.

Ond allwn i ddim bod yn siŵr o hynny.

Ro'n i'n teimlo mor hapus wrth redeg adre o'r ysgol y diwrnod hwnnw. Roedd pawb yn hapus, diolch i'n cymdogion Rachel ac Aaron Jenkins. Chi'n gweld, mae'n tir ni mor sych nes bod y gwenith yn gwywo yn y caeau. Dyna pam mae pawb yn llwgu. Ond dros y penwythnos roedd Rachel ac Aaron wedi darganfod ffordd syml ac effeithiol o ddyfrhau eu tir. Os gallen ni i gyd ddilyn eu hesiampl, byddai Patagonia'n wyrdd a ffrwythlon o'r diwedd.

Roedd Dad eisoes wedi sychu'i ddagrau a brysio i fferm Rachel ac Aaron i weld drosto'i hun. Fe fyddwn i a Mam wedi'i ddilyn oni bai am Gruff. Safon ni'n dwy ar yr iard a gwylio'r stêm o'r sosban datws yn gwasgaru dros y paith.

'Mae Gruff yn hen gyfarwydd â'r paith,' dwedais.

'Ond fe ddylai fod gartre erbyn hyn,' meddai Mam. 'Chymerodd e ddim tocyn bwyd. A dwi wedi bod yn gofidio amdano fe'n ddiweddar. Mae e mor dawel a difywyd.'

'Ydy e?' dwedais. Ers wythnosau ro'n i'n teimlo mor llwglyd, doedd gen i mo'r nerth i boeni am neb arall. Ond,

erbyn meddwl, roedd Mam yn iawn. Fel arfer mae Gruff yn hapus a gobeithiol ac wrth ei fodd yn canmol Patagonia. 'Ni biau'n tai a'n tir,' meddai Gruff. 'Fydden ni byth yn gallu fforddio'r rheiny yng Nghymru. Fydden ni ddim yn cael gwersi yn Gymraeg yn yr ysgol chwaith. Yma mae gyda ni'r capel a'r eisteddfod ac mae pawb yn gallu byw bywyd Cymreig go iawn. Mae e'n lle braf i fyw.'

Pan benderfynon ni i gyd adael Patagonia a mynd i chwilio am dir gwell rai misoedd yn ôl, Gruff oedd yr unig un oedd yn falch pan droion ni'n ôl. Ond ers rhai wythnosau roedd golwg ddigalon a gofidus ar fy mrawd, ac nid ar y diffyg bwyd yn unig oedd y bai.

'Ydych chi'n meddwl ei fod e wedi cynllunio i redeg i ffwrdd?' gofynnais. 'Ond i ble bydde fe'n mynd?'

Cododd Mam ei hysgwyddau. 'Mae e'n dal i freuddwydio, on'd yw e?' meddai. 'Yr un hen freuddwyd. Mae e'n dal i feddwl fod 'na gornel o Batagonia sy'n wyrdd a phrydferth.'

'Chi'n meddwl ei fod e wedi rhedeg i ffwrdd fel . . . Daf – ?' Roedd arna i ofn dweud yr enw.

Fe ddychrynais i'n fwy fyth pan ochneidiodd Mam heb ddweud gair.

Trois i edrych tua'r gorllewin.

'Fe a' i i nôl Besi,' dwedais. 'Fydda i ddim chwinc yn cael gafael ar Gruff.'

Ysgydwodd Mam ei phen. Sut gallwn i ffeindio un bachgen bach main, deuddeg oed ar baith mor eang? Roedd Mam yn gwybod fod y peth yn amhosib ac eto fe adawodd i fi fynd. Dododd ei llaw ar fy mraich. Roedd ei

llaw mor galed â'r pridd. Mae wyneb Mam yn galed hefyd, heblaw pan fydd hi'n chwerthin yn ei chwsg. Yn ei chwsg mae hi'n ôl yng Nghymru, yn godro'r da gyda'i brodyr a'i chwiorydd.

I godi'i chalon, chwifiais fy llaw uwch fy mhen.

'Rhaid i fi gael bolas,' dwedais. 'Bolas i ddal Gruff.' Gwenodd Mam. Rhaff gyda phwysau ar bob pen iddi yw'r bolas. Mae'r Indiaid yn ei thaflu drwy'r awyr i ddal anifeiliaid. Maen nhw wedi dysgu Gruff sut i'w ddefnyddio, ond yr unig beth mae e wedi'i ddal hyd yn hyn yw postyn ffens.

Dringais ar gefn Besi a gwneud sŵn fel yr Indiaid. Rhoddodd yr hen gaseg naid ac yna carlamu i ffwrdd. Ar ôl hanner milltir fe edrychais yn ôl a gweld Mam yn dal i sefyll fel delw bach main ar yr iard.

Oedd raid i 'mrawd ddifetha'r diwrnod hwnnw o bob diwrnod?

Mae bywyd yn greulon. Mae Patagonia'n greulon. Ers i ni gyrraedd yma ddwy flynedd yn ôl mae cymaint o bobl wedi marw. Mae Lewis Jones wedi'n gadael a mynd i Buenos Aires, ond mae Edwin Roberts yn dal yma, mor obeithiol ag erioed. Mae'n bwysig cael pobl obeithiol yn ein plith.

Mae'n bwysig cael Gruff yn ein plith. Roedd cysgod ei wyneb bach eiddgar yn hofran o flaen fy llygaid, ond pan edrychwn i go iawn, doedd dim i'w weld ond llwyni drain ac ambell sgwarnog yn stryffaglio fel ni i grafu cynhaliaeth o'r pridd.

Fues i ddim yn hir cyn mynd i banig. Weithiau ro'n i'n gyrru Besi'n ei blaen nerth ei charnau. Bryd arall roedd fy nghalon yn curo mor wyllt, doedd gen i ddim dewis ond arafu. Ro'n i a'r anifail yn chwys diferu a doedd dim i'w glywed o dan yr awyr las lydan ond ein hanadlu trwm. Symudai cysgodion ar draws y gorwel, ond pan sychais i'r chwys o'm llygaid, doedd dim yno ond haid o wanaco. Pan ddaethon ni yma gynta, doedden ni ddim yn gyfarwydd â'r anifeiliaid hirgoes ac yn eu galw'n 'ddefaid coch'.

'Gruff?' Sibrydais y gair. Yna cododd cywilydd arna i am fod mor wangalon ac fe waeddais ei enw nerth fy mhen. Wrth i fi weiddi, teimlais gryndod yn y ddaear a gweld cwmwl o lwch yn rholio dros y paith. Criw o Indiaid oedd yn dod ar garlam yn syth tuag ata i. Ro'n i'n paratoi i symud o ffordd eu carnau chwim, pan stopion nhw'n stond ychydig bellter i ffwrdd. Ar ôl i'r llwch glirio, gwelais ddau ddyn wedi'u lapio mewn clogynau a dau fachgen ifanc. Rhyngddyn nhw safai dau geffyl sbâr yn llwythog o ledr a matiau a ponchos i'w ffeirio â ni'r Cymry.

Dwedais air neu ddau yn Sbaeneg. Mae gan yr Indiaid eu hiaith eu hunain, fel sy gyda ni, ond Sbaeneg yw iaith yr Ariannin.

Nodiodd y pedwar a syllu arna i.

'Dwi'n chwilio am Gruff,' dwedais. Roedd Gruff a'i ffrindiau wedi bod yn hela sawl gwaith gyda'r Indiaid. 'Gruff.'

'Gruff,' meddai'r bachgen ieuengaf.

'Wyt ti wedi'i weld e?' gofynnais.

Syllodd y bachgen arna i.

19

'Dwi'n chwilio am Gruff,' dwedais eto, gan gysgodi fy llygaid ac esgus edrych o gwmpas. 'Gruff. Ble mae Gruff?'

Siaradodd yr Indiaid â'i gilydd, yna daeth y bachgen yn nes a phwyntio dros y paith. Ro'n i ar ganol troi i'r cyfeiriad hwnnw, pan welais ei fys yn gwneud arwydd y groes.

Yn fy mraw rhois blwc sydyn i'r ffrwyn ac fe neidiodd Besi. Wrth i fi syrthio ar ei gwddw, gwnaeth y bachgen arwydd y groes am yr eildro a'r tro hwn fe bwyntiodd at y ddaear fel petai'n pwyntio at fedd.

'Beth wyt ti'n trio'i ddweud?' llefais, gan afael yn dynn ym mwng y gaseg. 'Be sy wedi digwydd i Gruff? Ble mae e?'

Ro'n i wedi dychryn y bachgen. Pan estynnais fy llaw i'w dawelu, fe giliodd yn ôl tuag at ei ffrindiau.

'Paid â mynd!' gelwais yn daer. 'Rhaid i fi ffeindio Gruff. Rhaid i fi.'

I ffwrdd â'r Indiaid gan sibrwd ymysg ei gilydd. Fe hysiais i Besi yn ei blaen. Dim ots pa mor esgyrnog oedd hi, ro'n i'n barod i'w gyrru ar eu holau fel y gwynt. Ond doedd dim angen i mi wneud hynny. Roedd y bachgen wedi arafu ac yn aros amdana i.

'Gruff,' meddai gan adael yr Indiaid eraill ac anelu am y de-ddwyrain.

Es innau ar ei ôl.

Dyna daith fwya dychrynllyd fy mywyd. Pan lanion ni ym Mhatagonia ddwy flynedd yn ôl, fe gerddon ni drwy bymtheg milltir ar hugain o lwyni drain. Roedd fy rhieni'n ofnus bryd hynny a'u calonnau ar dorri, ond o leia roedden

ni'n falch o gyrraedd yr hen gaer fyddai'n gartref i ni am y misoedd cynta.

Nawr doeddwn i ddim eisiau gweld pen y daith. Roedd arna i ormod o ofn. Ro'n i eisiau carlamu a charlamu hyd nes i'r haul fy nhoddi. Ond, fel mae Mam yn dweud yn aml, dyw'r tir hwn ddim yn ffrind i ni. Ar ôl ychydig o funudau fe faglodd Besi dros dwmpath a 'nhaflu i i'r llawr. Disgynnais yn glatsh, a phan godais ar fy eistedd, roedd fy mreichiau'n blastar o lwch a gwaed. Rhwbiais y llwch i ffwrdd ac edrych am anafiadau ar fy nghroen. Doedd 'na ddim. Nid fy ngwaed i oedd e. Wrth i fi neidio ar fy nhraed, daeth yr Indiad yn ei ôl a phwyntio at y staen du ar y pridd.

'Gruff,' meddai gan amneidio at fryncyn ychydig bellter i ffwrdd.

Trois i edrych. Wrth droed y bryncyn roedd twmpath o bridd. Ar y twmpath safai croes o frigau gyda golau'n disgleirio ar rywbeth bach ar ei brig.

Mewn breuddwyd clywais yr Indiaid yn carlamu i ffwrdd. Fe driais gamu tuag at y bedd yn y pridd, ond ar ôl cam neu ddau fe wegiodd fy nghoesau a suddais yn swp i'r llawr. Wrth syrthio clywais lais yn gweiddi.

'Jane!' gwaeddai. 'Jane! Jane!'

O'n i'n dal i freuddwydio? Na. Roedd sŵn traed i'w clywed yn rhedeg tuag ata i. Cydiodd llaw yn fy llaw i. Uwch fy mhen safai fy mrawd, yn ymladd am ei wynt a'i wyneb yn goch.

'Jane, beth wyt ti'n wneud fan hyn?' llefodd.

Mewn chwinc ro'n i ar fy nhraed yn barod i'w

gofleidio. Chwinc arall ac fe gollais fy nhymer yn llwyr. Rhois ysgytwad gas iddo.

'Beth ydw i'n wneud?' rhuais. 'Beth wyt ti'n wneud – dyna'r cwestiwn? Ro'n i'n meddwl dy fod ti wedi marw!''

'Dod yma i chwilio am fwyd i ni wnes i.' Pwyntiodd fy mrawd yn frysiog at gorff hwyaden wyllt a oedd yn diferu gwaed ar y llawr.

'Ond pam rhedest ti i ffwrdd heb ddweud gair wrth neb? Rwyt ti bron â thorri calon Mam, a lwcus bod Dad oddi cartre. Mae'n bryd i ti ddysgu, y twpsyn! Does dim diben rhedeg i ffwrdd. Does dim unman gwell ym Mhatagonia. Dim unman o gwbl!'

Caledodd wyneb fy mrawd. 'Dwi'n gwbod,' meddai.

'Wyt ti?' snwffiais. 'Ers pryd?'

Yn lle ateb trodd Gruff ar ei sawdl a dechrau rhedeg.

'Paid â RHEDEG!' chwyrnais gan roi naid ar ei ôl a gafael yng nghynffon ei gôt. Syrthion ni'n dau ar ein hyd a rholio dros y llawr nes taro'n erbyn y twmpath pridd.

Cododd fy mrawd ar ei draed yn syth. Cydiais innau'n ei figwrn rhag ofn iddo ddianc. Ond aros yn ei unfan wnaeth Gruff a gafael yn y peth bach disglair ar ben y groes. Trodd ata i ac estyn ei law.

Aeth cryndod drwydda i. Ar gledr ei law, wedi'i lanhau'n ofalus ac yn disgleirio'n bert yn yr haul, gorweddai gwniadur pres. Er bod dwy flynedd wedi mynd heibio ers i mi ei weld, ro'n i'n ei nabod ar unwaith.

'O, Gruff!' Trois at y twmpath pridd a gweld olion dwylo fy mrawd drosto i gyd. 'O, Gruff!' sibrydais. 'Bedd Dafydd yw hwn, ontefe? Sut dest ti ar ei draws e?'

'Ffeindiais i esgyrn a gwniadur ryw fis yn ôl,' meddai Gruff, 'a . . .'

'A ti gladdodd e? Gruff, pam na ddwedest ti wrthon ni?'

'Doeddwn i ddim eisiau i neb wybod fod Dafydd wedi methu,' meddai Gruff.

Dychrynais. Roedd fy mrawd bach yn swnio mor hen, mor drist, mor anobeithiol, mor debyg i Dad. Ro'n i am ddweud y newydd da am gaeau Rachel ac Aaron wrtho i godi'i galon, ond fe drodd Gruff i ffwrdd a symud carreg fawr oddi ar droed y twmpath. Yn y pant o dan y garreg gorweddai dyrnaid o bapur wedi'i lapio mewn darn o ddefnydd coch.

Pan welais y bwndel truenus, tasgodd dagrau ar y pridd. Wyddwn i ddim ar y pryd mai fi oedd yn crio.

'Rhaid bod Dafydd druan wedi marw o syched yn fuan iawn ar ôl i ni lanio,' meddai fy mrawd. 'Wnaeth e ddim cyrraedd yr afon hyd yn oed. Fe fethodd e'n llwyr, Jane.'

Ysgydwais fy mhen.

'Do!' meddai Gruff yn bendant. 'Fe fethodd e'n llwyr.'

'Naddo,' dwedais, gan sychu'r dagrau. 'Na, gwranda am unwaith. Gwranda arna i, Gruff.'

Penliniais ar y pridd a chydio yn y bwndel. Roedd y papur wedi'i fwyta gan bryfed. Roedd e'n frau, yn dyllog fel lês a phob gair wedi diflannu. Ond doedd dim angen geiriau arna i. Roedd llais llon Dafydd yn dal i atsain yn fy mhen. Gwenais ar fy mrawd.

'Ble ydyn ni'n mynd i sefydlu Cymru newydd, hardd

a ffrwythlon?' gofynnais.

Edrychodd Gruff yn gas arna i.

'Patagonia!' atebais. 'Mae'n wir, Gruff. Mae'n wir.'

Ac fe ddwedais i'r newydd da wrtho. Dwedais wrth
Gruff am gaeau gwlyb Rachel ac Aaron ac am y cnydau
gwyrdd fyddai'n tyfu ynddyn nhw. Cyn hir byddai'n caeau
ninnau'n wlyb, ein hysguboriau'n llawn a'n byrddau'n
gwegian dan bwysau'r bwyd.

Wrth i fi siarad, gwelais wyneb fy mrawd bach yn
goleuo.

'Gofyn y cwestiwn i fi eto, Jane,' siarsiodd. 'Gofyn y
cwestiwn i fi eto.'

Nodiais a sbecian dros y bwndel papur.

'Ble ydyn ni'n mynd i sefydlu Cymru newydd, hardd
a ffrwythlon?' gofynnais.

Trodd fy mrawd i wynebu bedd ei ffrind.

'Patagonia!' atebodd mewn llais cadarn, balch. Ac
yna, gan weiddi a phwnio'r awyr, 'Patagonia!'

'Ateb cywir,' dwedais innau'n hapus. 'Hollol gywir!'

Y noson honno, yn ystod y dathlu ar fferm Rachel ac
Aaron, fe ofynnodd Gruff y cwestiwn unwaith eto, ac am y
tro cyntaf ers gadael y Mimosa fe waeddodd pob plentyn ac
oedolyn yn un côr.

'Patagonia!' oedd ein hateb. 'Patagonia!'